DANIEL SIQUEIRA

(Organizador)

Novena de Nossa Senhora de Fátima

EDITORA
SANTUÁRIO

DIREÇÃO EDITORIAL:
Pe. Fábio Evaristo Resende Silva, C.Ss.R.

REVISÃO:
Manuela Ruybal

COORDENAÇÃO EDITORIAL:
Ana Lúcia de Castro Leite

DIAGRAMAÇÃO E CAPA:
Marcelo Tsutomu Inomata

COPIDESQUE:
Luana Galvão

ISBN 978-85-369-0447-4

3ª impressão

Todos os direitos reservados à **EDITORA SANTUÁRIO** – 2024

Rua Pe. Claro Monteiro, 342 – 12570-045 – Aparecida-SP
Tel.: 12 3104-2000 – Televendas: 0800 - 0 16 00 04
www.editorasantuario.com.br
vendas@editorasantuario.com.br

Nossa Senhora de Fátima

A devoção a Nossa Senhora sob o título de Fátima tem sua origem em Portugal no ano de 1917, a partir dos relatos das aparições da Virgem Maria às três crianças na pequena localidade de Fátima. As aparições de Nossa Senhora aconteceram quando Lúcia (10 anos) e seus primos, Jacinta (7 anos) e Francisco (9 anos), estavam pastoreando rebanhos em um campo chamado "Cova da Iria". A primeira aparição ocorreu no dia 13 de maio e se repetiram por outras cinco vezes sempre no dia 13 dos meses seguintes.

A mensagem de Nossa Senhora às três crianças era de esperança, consolação e conforto diante da dor e do sofrimento causados pela guerra, pelas revoluções e perturbações que marcavam o período. Nas aparições, a Mãe de Jesus pedia que todos rezassem, que tivessem uma profunda vida de oração. Ainda pedia que todos recitassem o rosário, no qual se meditam os mistérios de nossa salvação, trazida a nós por seu filho Jesus, que se consagrassem a seu Imaculado Coração e que rezassem pela conversão dos pecadores.

Após os relatos das aparições de Nossa Senhora, muitas pessoas se dirigiram a esta localidade onde, posteriormente, foi construído um grande Santuário, que hoje acolhe peregrinos do mundo todo, que vão até lá rezar para a Mãe de Deus e pedir sua intercessão diante das dores e dos sofrimentos. Assim, Maria, sob o título de Fátima, fala-nos de seu amparo e de sua presença amorosa junto de nós, seus filhos, principalmente nos momentos mais difíceis e sofridos de nossa vida.

Deste modo, rezemos a Nossa Senhora, sob o título de Fátima, pedindo-lhe sua intercessão e sua maternal proteção para nossa vida.

Consagração a Nossa Senhora de Fátima

(Papa Francisco)

Bem-Aventurada, Virgem de Fátima, com renovada gratidão pela tua presença materna, unimos nossa voz à de todas as gerações que te dizem Bem-Aventurada. Celebramos em ti as grandes obras de Deus, que nunca se cansa de se inclinar com misericórdia sobre a humanidade, atormentada pelo mal e ferida pelo pecado, para guiá-la e salvá-la. Acolhe com benevolência de Mãe o ato de entrega, que hoje fazemos com confiança, diante desta tua imagem a nós tão querida. Temos a certeza de que cada um de nós é precioso a teus olhos e que nada te é desconhecido de tudo o que habita nossos corações. Deixamo-nos alcançar pelo teu olhar dulcíssimo e recebemos a carícia confortadora de teu sorriso. Guarda nossa vida entre teus braços: abençoa e fortalece qualquer desejo de bem; reacende e alimenta a fé; ampara e ilumina a esperança; suscita e anima a caridade; guia todos nós no caminho da santidade. Ensina-nos teu mesmo amor de predileção pelos pequeninos e pelos pobres, pelos excluídos e sofredores, pelos pecadores e os desorientados; reúne todos sob tua proteção e recomenda todos a teu dileto Filho, nosso Senhor Jesus. Amém.

Orações para todos os dias

I. Oração Inicial

– Em nome do Pai, do Filho e do Espírito Santo. Amém.

– Minha querida Mãe, Nossa Senhora de Fátima, em vossa presença hoje me coloco, pedindo que, por meio de vossa maternal intercessão, possais atender minhas súplicas e necessidades. Que por vosso intermédio elas cheguem até vosso filho, Jesus nosso redentor. Ao iniciar esta novena, eu vos saúdo assim como fez o anjo Gabriel ao anunciar que vós seríeis a Mãe do Salvador. **Ave, Maria, cheia de graça...**

II. Oração Final

Ao terminar esta novena, elevo também minha prece a vós, Deus Pai de amor e misericórdia, que nos deu Maria como Mãe, rezando. **Pai nosso...**

Ó Maria, nunca deixastes seus filhos desamparados. Nos momentos de dor e sofrimento vinde a meu encontro, assim como viestes ao encontro dos pastorinhos em Fátima. A vós saúdo, ó Mãe, rezando. **Salve, Rainha...**

Santíssima Virgem, que nos montes de Fátima vos dignastes revelar aos três pastorinhos os tesouros de graças que podemos alcançar, rezando o santo rosário, ajudai-nos a apreciar sempre mais essa santa oração, a fim de que, meditando os mistérios de nossa redenção, alcancemos as graças que insistentemente vos pedimos (*pedir a graça*). Nossa Senhora do Rosário de Fátima, rogai por nós.

Que, por intercessão de Nossa Senhora de Fátima, abençoe-nos o Deus rico de amor e misericórdia. Em Nome do Pai, do Filho e do Espírito Santo. Amém.

1º Dia
Fátima e a misericórdia

1. Oração inicial *(p. 6)*

2. Palavra de Deus *(Lc 1,26-38)*

No sexto mês, o anjo Gabriel foi enviado por Deus a uma cidade da Galileia, chamada Nazaré, a uma virgem, noiva de um homem, de nome José, da casa de Davi; a virgem chamava-se Maria. Entrando onde ela estava, disse-lhe o anjo: "Alegra-te cheia de graça, o Senhor é contigo". Ao ouvir tais palavras, Maria ficou confusa e começou a pensar o que significava aquela saudação. Disse-lhe o anjo: "Não tenhas medo, Maria, porque Deus se mostra bondoso para contigo. Conceberas e darás à luz um filho e lhe porás o nome de Jesus. Ele será grande e será chamado Filho do Altíssimo. O Senhor lhe dará o trono de Davi, seu pai, e ele reinará para sempre na casa de Jacó. E seu reino não terá fim". Maria, porém, perguntou ao anjo: "Como será isso, se eu não vivo com um homem?" Respondeu-lhe o anjo: "O Espírito do Senhor descerá sobre ti e a força do Altíssimo te cobrirá com

a sua sombra. Por isso, o santo que vai nascer será chamado filho de Deus. Isabel, tua parenta, também ela concebeu um filho em sua velhice e está no sexto mês, aquela que era considerada estéril, porque nada é impossível para Deus".
– Palavra da Salvação!

3. Refletindo a Palavra

A passagem do Evangelho nos mostra a salvação que Deus ofereceu a cada um de nós, por meio da vinda de seu Filho Jesus Cristo, anunciada pelo anjo Gabriel e acolhida por Maria. Em Fátima, também por intermédio de Maria, Deus continua vindo ao encontro da humanidade. Ele é pai amoroso, que nunca se esquece de amparar seus filhos e filhas em suas dores e sofrimentos. Em sua infinita misericórdia, quer oferecer a salvação, que se concretiza por meio da vinda de seu filho ao mundo e pela inauguração do Reino de paz, justiça e fraternidade. Maria desempenha um papel fundamental nesse processo, pois ela, de bom grado, acolheu a proposta de salvação anunciada pelo anjo e se colocou toda inteira para fazer a vontade de Deus acontecer em sua vida. Os três pastorinhos, ao acolherem a mensagem trazida por Maria em Fátima, descobriram que a salvação e a misericórdia de Deus para conosco continua se realizando.

4. Olhando para minha vida

a. Quais são os sinais da presença misericordiosa de Deus em minha vida?
b. Assim como Maria, acolho a salvação que Deus me oferece?

5. Oração Final *(p. 6)*

* * *

2º Dia
Fátima e o sofrimento

1. Oração Inicial *(p. 6)*

2. Palavra de Deus *(Jo 19,25-27)*

Junto à cruz de Jesus estavam de pé sua mãe, a irmã de sua mãe, Maria, mulher de Cléofas, e Maria Madalena. Jesus, vendo sua mãe e, perto dela, o discípulo que amava, disse a sua mãe: "Mulher, eis aí teu filho". Depois disse ao discípulo: "Eis aí tua mãe". E, desta hora em diante, o discípulo acolheu-a em sua casa.
– Palavra da Salvação!

3. Refletindo a Palavra

A morte de Jesus na cruz parecia ser o fim de todas as esperanças, parecia que tudo estava acabado. Mas, mesmo diante de todo esse cenário desolador, Maria permanece firme diante da cruz, acreditando que a morte na cruz de seu filho não era o fim e que seu sofrimento não era em vão. Por meio da cruz, veio a salvação expressa na ressurreição. Aos pés da cruz, nasce a nova humanidade redimida de todo pecado. As primeiras duas décadas do século XX foram marcadas por diversas revoluções e guerras, que trouxeram enormes dores e sofrimentos a muitos povos. A pergunta que se coloca diante disso é: onde está Deus diante do horror, da violência, da guerra e do padecimento de tantos? A aparição da Virgem Maria, em Fátima, traz uma resposta a essa questão, pois ao aparecer a três humildes crianças pobres, em uma localidade praticamente esquecida e em um tempo de penúria e guerra, Maria revela que Deus está junto dos mais necessitados, dos que mais sofrem.

4. Olhando para minha vida

a. Como tenho me comportado diante das situações de sofrimento e dor em minha vida?

b. Tenho sido causa de dor e sofrimento para alguma pessoa a minha volta?

5. Oração Final *(p. 6)*

✳ ✳ ✳

3º Dia
Fátima e a esperança

1. Oração Inicial *(p. 6)*

2. Palavra de Deus *(Jo 2,1-12)*

No terceiro dia, houve uma festa de casamento em Caná da Galileia e lá se encontrava a mãe de Jesus. Também Jesus foi convidado para a festa junto com seus discípulos. Faltando o vinho, a mãe de Jesus lhe disse: "Eles não têm mais vinho". Respondeu-lhe Jesus: "Mulher, o que importa isso a mim e a ti? Minha hora ainda não chegou". Sua mãe disse aos serventes: "Fazei tudo o que ele vos disser". Havia lá seis talhas de pedra, destinadas às purificações dos judeus. Cada uma delas podia conter cerca de dois ou três barris. Disse Jesus aos serventes: "Enchei de água as talhas". Eles as encheram até a boca. Disse-lhes então: "Tirai agora e levai ao mestre-sala". Eles levaram. O mestre-sala provou a água transformada em vinho e não sabia de onde viera aquele vinho, embora o soubessem os serventes que haviam tirado a água; chamou então o noivo e disse-lhe: "Todo

mundo serve primeiro o bom vinho e, quando os convidados já tiveram bebido muito, serve o vinho inferior. Tu, porém, guardaste até agora o vinho bom..." Deste modo iniciou Jesus, em Caná da Galileia, os seus sinais. Manifestou sua glória, e seus discípulos começaram a crer nele. Depois disso desceu a Cafarnaum com sua mãe, seus irmãos e seus discípulos. Lá permaneceram poucos dias.
– Palavra da Salvação!

3. Refletindo a Palavra

O milagre das Bodas de Caná marca o início da vida pública de Jesus e de seu ministério. Esse foi o primeiro sinal realizado por ele, e o fez em uma festa de casamento na presença de Maria, sua mãe, e de seus discípulos. O vinho para os povos antigos simbolizava a alegria. Assim, quando acaba o vinho, podemos dizer que também acabou a alegria. Quem por primeiro percebe a falta do vinho é Maria e, diante disso, ela vai até seu filho Jesus, pedindo que ele faça alguma coisa. Ela confia e acredita que Jesus pode fazer algo para novamente trazer a alegria para aquela festa e para a vida das pessoas. O convite à esperança é uma das mensagens mais importantes trazidas por Nossa Senhora nas aparições de

Fátima. Essa mensagem de esperança se manifesta por meio das palavras que a Virgem Maria dirigiu aos pastorinhos e a toda a humanidade, pedindo fidelidade diante das tribulações e dos sofrimentos e afirmando que Deus jamais esquece seus filhos.

4. Olhando para minha vida

a. Sou uma pessoa sensível às necessidades e aos sofrimentos dos outros?
b. Dou testemunho de esperança e de alegria nos ambientes onde me faço presente?

5. Oração Final *(p. 6)*

* * *

4º Dia
Fátima e a conversão

1. Oração Inicial *(p. 6)*

2. Palavra de Deus *(Mt 3,1-12)*

Por aqueles dias apareceu João Batista a pregar no deserto da Judeia, dizendo: "Convertei-vos, pois está próximo o Reino dos Céus!" Pois a ele referia-se o profeta Isaías, quando disse: "Uma voz clama no deserto: Preparai o caminho do Senhor! Retificai suas estradas!" João usava uma roupa de pelos de camelo e um cinto de couro na cintura. Alimentava-se de gafanhotos e de mel do campo. O povo de Jerusalém, de toda a Judeia e do vale do Jordão, ia até ele, confessava seus pecados e ele batizava a todos no rio Jordão. Vendo que muitos fariseus e saduceus vinham para o batismo, disse-lhes: "Raça de víboras! Quem vos ensinou a fugir da ira que virá? Produzi, então, fruto que demonstre verdadeira conversão e não vos enganeis pensando: 'Abraão é nosso pai'. Porque eu vos digo que destas pedras Deus é capaz de fazer nascer filhos a Abraão. O machado já está encostado no pé das árvores; e, então, toda árvore que não produzir bom fruto será cortada e jogada no fogo. Eu vos batizo com água, para vossa conversão; mas aquele que vem depois de mim é mais forte do que eu: não sou digno nem de tirar-lhe as sandálias. Ele vos batizará com o fogo do Espírito Santo. Ele tem a pá na mão para limpar seu terreiro: vai guardar o trigo no paiol, mas a palha ele a queimará numa fogueira que não se apaga".

– Palavra da Salvação!

3. Refletindo a Palavra

Mateus, no início de seu Evangelho, fala-nos do forte apelo de conversão proclamado por João Batista. Para acolher a Boa-Nova e o Reino anunciado por Jesus, faz-se necessário em primeiro lugar uma mudança de vida e de conduta. Quem não se converte e não muda de vida não acolhe em sua vida a Boa-Nova de Jesus. A conversão deve ser uma atitude constante na vida de todo cristão, que, em todas as fases de sua vida, deve estar revendo sua postura e suas ações, buscando assemelhar-se mais ao jeito de Jesus. Quando Maria se manifesta em Fátima, ela também traz um apelo pela conversão, pedindo que a humanidade se arrependa de seus pecados e busque mais a Deus. Maria ainda pede que todos rezem sempre pela conversão dos pecadores. Somente por meio da conversão e da mudança de vida é que o ser humano se salvará, só assim o mundo alcançará a verdadeira paz.

4. Olhando para minha vida

a. Tenho procurado a cada dia viver a conversão proposta pelo Evangelho?
b. O que preciso mudar em mim para ser mais semelhante a Jesus?

5. Oração Final *(p. 6)*

5º Dia
Fátima e a fidelidade

1. Oração Inicial *(p. 6)*

2. Palavra de Deus *(At 1,12-14)*

Então voltaram para Jerusalém, partindo do assim chamado monte das Oliveiras, que fica perto de Jerusalém, à distância de uma caminhada de sábado. Depois de entrarem na cidade, subiram para a sala de cima, onde ficavam Pedro, João, André, Filipe e Tomé, Bartolomeu e Mateus, Tiago, filho de Alfeu, Simão, o zelota e Judas filho de Tiago. Todos perseveravam unânimes na oração, junto com algumas mulheres, entre as quais Maria, mãe de Jesus, e com seus irmãos.
– Palavra do Senhor!

3. Refletindo a Palavra

O livro dos Atos dos Apóstolos traz uma panorâmica da formação e da organização da comunidade cristã primitiva. Nesses relatos, é colocado em evidência a dimensão da fidelidade aos ensinamentos deixados por Jesus e a perseverança de todos na oração e na unidade. Maria também se fazia presente nessa comunidade primitiva, perseverando e animando os apóstolos em sua missão de anunciar a Boa-Nova da ressurreição de Jesus. Nos relatos das aparições de Fátima, é sempre constante o pedido de Nossa Senhora para que todas as pessoas rezem incessantemente pela salvação do mundo, que tenham fé e que perseverem mesmo diante dos sofrimentos. Em Fátima, evidência-se a importância da fidelidade a Jesus Cristo e a seu Evangelho.

4. Olhando para minha vida

a. Como tenho vivido a dimensão da fé em minha vida?
b. Participo e partilho meus dons em minha comunidade?

5. Oração Final *(p. 6)*

※ ※ ※

6º Dia
Fátima e a salvação

1. Oração Inicial *(p. 6)*

2. Palavra de Deus *(Jo 3,16-21)*

Com efeito, Deus tanto amou o mundo que lhe deu seu Filho unigênito, para que não morra quem nele crê, mas tenha a vida eterna. Pois Deus não mandou seu Filho ao mundo para condenar o mundo, mas para que por meio dele o mundo seja salvo. Quem nele crê não é condenado. Mas, quem não crê, já está condenado, porque não creu no nome do Filho unigênito de Deus. E o julgamento é assim: a luz veio ao mundo, mas os homens preferiram as trevas à luz, porque suas obras eram más. De fato, todo aquele que faz o mal odeia a luz e dela não se aproxima, para que suas obras não sejam desmascaradas. Mas quem pratica a verdade aproxima-se da luz, para que transpareça que suas obras são feitas em Deus.

– Palavra da Salvação!

3. Refletindo a Palavra

Deus, ao criar o mundo e ao criar o ser humano, desejou que o homem e a mulher estivessem sempre em sua presença e vivessem em seu amor. No entanto, o egoísmo e a autossuficiência afastaram o ser humano de Deus. Assim o ser humano mergulhou no pecado e na morte. Mas Deus, em seu infinito amor, quis que o ser humano voltasse a sua presença e se salvasse. Por isso enviou seu filho Jesus, que se fez homem e, morrendo na cruz e ressuscitando, salvou-nos, devolvendo-nos a vida. Por meio de sua morte e ressurreição, Jesus nos colocou novamente na presença de Deus e nos garantiu também que um dia nós ressuscitaremos e estaremos junto do Pai. Maria possui papel fundamental nesse processo, pois foi por meio dela que a salvação chegou ao mundo; ela foi a primeira que acreditou. Ao olharmos para os fatos ocorridos em Fátima, nas palavras de Nossa Senhora às crianças, é notável essa preocupação com a salvação. Isso fica evidente em sua mensagem, na qual ela nos pede para vivermos a devoção a seu Imaculado Coração, que rezemos o terço e que nos convertamos. É assim que a humanidade alcançará a salvação e a paz: vivendo na graça de Deus.

4. Olhando para minha vida

a. Como tenho vivido minha vocação de filho/a de Deus, criado a sua imagem e semelhança?
b. Quais são os reflexos da salvação prometida por Deus e concretizada por Jesus Cristo em minha vida?

5. Oração Final *(p. 6)*

7º Dia
Fátima e a solidariedade

1. Oração Inicial *(p. 6)*

2. Palavra de Deus *(Lc 1,39-45)*

Naqueles dias, Maria partiu em viagem, indo às pressas para a região montanhosa, para uma cidade da Judeia. Entrou na casa de Zacarias e cumprimentou Isabel. Logo que Isabel ouviu a saudação de Maria, o menino saltou em seu seio, e Isabel ficou cheia do Espírito Santo e exclamou em alta voz: "Tu és bendita entre as mulheres e bendito é o fruto de teu ventre! E como me é dado que venha a mim a mãe de meu Senhor? Pois, assim que chegou a meus ouvidos a voz de tua saudação, o menino saltou de alegria em meu seio. Bem-aventurada aquela que acreditou que se cumpria o que lhe foi dito da parte do Senhor!"
– Palavra da Salvação!

3. Refletindo a Palavra

O relato do Evangelho de Lucas revela-nos a grande disponibilidade e sensibilidade de Maria, que, ao saber da gravidez de sua prima Isabel e vendo sua idade avançada, coloca-se à disposição, indo a seu encontro para auxiliá-la em suas necessidades. Aqueles que acolhem a mensagem e a salvação de Deus sentem-se impelidos a colocar suas vidas à disposição daqueles que mais precisam de ajuda. Ao aparecer em Fátima em 1917, quando uma terrível guerra já havia tirado a vida de milhões de pessoas e causava a outras tantas muita dor e sofrimento, Maria mais uma vez se coloca em atitude de disponibilidade, de estar junto, fazendo-se presente e confortando os que mais precisavam. Diante do "mar de lágrimas" em que seus filhos e filhas se afogavam, a Mãe não os abandonara, vindo a seu encontro.

4. Olhando para minha vida

a. Sou capaz de ser solidário e atencioso com as pessoas a minha volta?
b. Quais atitudes de disponibilidade e solidariedade tenho praticado?

5. Oração Final *(p. 6)*

* * *

8º Dia
Fátima e o compromisso com o Reino de Deus

1. Oração Inicial *(p. 6)*

2. Palavra de Deus *(Mt 5,1-12)*

Vendo a multidão, Jesus subiu à montanha. Sentou-se, e seus discípulos aproximaram-se dele. Começou então a falar e os ensinava assim: "Felizes os pobres em espírito, porque é deles o Reino dos Céus. Felizes os que choram, porque Deus os consolará. Felizes os não violentos, porque receberão a terra como herança. Felizes os que têm fome e sede de justiça, porque Deus os saciará. Felizes os misericordiosos, porque conseguirão misericórdia. Felizes os de coração puro, porque verão a Deus. Felizes os que promovem a paz, porque Deus os terá como filhos. Felizes os que são perseguidos por agirem retamente, porque deles é o Reino dos Céus. Felizes sereis vós, quando os outros vos insultarem, perseguirem e disserem contra vós toda espécie de calúnias por causa de mim. Alegrai-vos e exultai, porque recebereis uma grande recom-

pensa no céu. Pois foi assim que eles perseguiram os profetas que vos precederam!"
– Palavra da Salvação!

3. Refletindo a Palavra

As Bem-aventuranças constituem um dos temas centrais da pregação do Reino de Deus anunciado por Jesus. Nelas, Jesus indica como deve ser a vida e o proceder da pessoa que acolhe a Boa-Nova e quer contribuir para a construção do Reino de Deus. A prática da caridade, da justiça, do amor, da mansidão, da fraternidade e da paz são os alicerces desse novo Reino que Jesus trouxe. Nossa Senhora, nesse contexto da construção do Reino de Deus, representa a humanidade que, com disposição e abertura de coração, acolhe essa proposta e trabalha para sua concretização no dia a dia de sua vida. Em Fátima, percebemos Nossa Senhora atuando pela construção do Reino. Ela é enviada por Deus trazendo uma mensagem de paz para a humanidade, fazendo um apelo de conversão dirigido a todos e pedindo que os cristãos assumam plenamente sua fé e os ensinamentos de seu filho Jesus. Assim, as aparições de Maria, em Fátima, são para nos lembrar de que depende também de nós que o Reino de Deus seja pleno.

4. Olhando para minha vida

a. Tenho vivido as Bem-aventuranças pregadas por Jesus em minha vida?

b. O que posso fazer para que o Reino de paz, amor, justiça e fraternidade, anunciado por Jesus, seja uma realidade presente em minha vida e na vida das pessoas com quem convivo?

5. Oração Final *(p. 6)*

※ ※ ※

9º Dia
Fátima nos leva a Jesus

1. Oração Inicial *(p. 6)*

2. Palavra de Deus *(Lc 4,14-21)*

Com a força do Espírito Santo, voltou Jesus para a Galileia, e sua fama espalhou-se por toda a região. Ensinava nas sinagogas deles e era glorificado por todos. Foi a Nazaré, lugar onde tinha sido criado. No sábado, segundo seu costume, entrou na sinagoga e levantou-se para fazer a leitura. Foi-lhe dado o livro do profeta Isaías. Desenrolando o livro, encontrou a passagem em que estava escrito: "O Espírito do Senhor está sobre mim, porque me ungiu para evangelizar os pobres, mandou-me anunciar aos cativos a libertação, aos cegos a recuperação da vista, pôr em liberdade os oprimidos e proclamar um ano de graça do Senhor". Depois enrolou o livro, entregou-o ao servente e sentou-se. Todos na sinagoga tinham os olhos voltados para ele. Então começou a dizer-lhes: "Cumpriu-se hoje esta passagem da Escritura diante de vós".

– Palavra da Salvação!

3. Refletindo a Palavra

Jesus inicia sua vida pública com as palavras do Profeta Isaías. Ele se apresenta como o Messias prometido e aguardado pelo povo e ainda fala da inauguração do Reino de Deus. Jesus é o único Salvador e redentor enviado por Deus: com seu sangue nos redime de nossos pecados e nos traz a vida plena. Maria é a medianeira escolhida por Deus para realizar seu plano. Ela não é a salvadora, mas aponta-nos sempre para a Salvação, que é Jesus. Nossa Senhora sempre se colocou ao lado de seu Filho em todos os momentos, assumindo a proposta do Reino e se fazendo presente na comunidade cristã primitiva. Ela quer que façamos o mesmo, que nos coloquemos diante de Jesus e que sejamos salvos por Ele. Nas aparições em Fátima, Maria não anuncia a si mesma, antes vem trazer-nos uma mensagem da parte de Deus e de seu Filho Jesus. Sua aparição é um sinal da presença divina em um mundo marcado pela descrença, pelo egoísmo e pela autossuficiência humana, que decidiu tirar Deus de sua vida. Nossa Senhora, em Fátima, quer nos alertar para a necessidade de o ser humano voltar-se novamente para Deus, para sua presença e para a de seu Filho, Jesus, pois, somente assim, o homem e a mulher de nossos tempos alcançarão verdadeiramente a paz.

4. Olhando para minha vida

a. Tenho buscado Deus em todos os momentos de minha vida ou somente me lembro dele nos momentos de dificuldades?

b. A exemplo de Maria, rezo a Deus por minha família e pelos meus semelhantes?

5. Oração Final *(p. 6)*

✻ ✻ ✻

Índice

Nossa Senhora de Fátima 3

Consagração a Nossa Senhora
de Fátima 5

Orações para todos os dias...................................... 6

1º dia: Fátima e a misericórdia 8

2º dia: Fátima e o sofrimento 11

3º dia: Fátima e a esperança 13

4º dia: Fátima e a conversão 16

5º dia: Fátima e a fidelidade 19

6º dia: Fátima e a salvação 21

7º dia: Fátima e a solidariedade 24

8º dia: Fátima e o compromisso
com o Reino de Deus 26

9º dia: Fátima nos leva a Jesus 29